KB011847

& STORY 캐릭터 소개 & 줄거리

스즈키 이루마

지나치게 착해빠진 상냥한 소년. 부탁을 받으면 거절을 못 한다. 위기 회피 능력이 뛰어나다. 인간이라는 사실을 들키지 않고, 악마 학교를 평온하게 다니고 싶다.

아스모데우스 아리스

파괴와 미덕을 관장하는 가계의 악마. 입시 수석인 우등생. 입학식에서 이루마 때문에 체면을 구기고 발끈하지만, 결투로 완패한 후 이루마에게 충성을 맹세한다.

《특기 마술=화염계 주문》

발락 클라라

밝고 활기찬 여자 악마. 항상 야단법석에 조용할 때가 없어서, 주위로부터 괴짜 혹은 희귀 짐승 취급을 당한다. 이루마의 상냥함을 접하고 감동해서, 좋은 친구 중 한 명이 된다.

《가계 마술=한번 본 물건은 뭐든 주머니에서 꺼낼 수 있어!》

CHARACTERS

바르바토스 바치코

귀여운 외모와 달리, 제멋대로에 입도 험한 여자 악마. 그러나 사실 설리번 이사장이 인정할 정도의 명궁사. 이루마에게 궁술을 가르쳐준다.

아자젤 아메리

고결하고 아름다운 바비루스 학생회장. 또한 전년도 수확제 우승자이자 전 약왕이기도 한 실력자. 이루마에게 연심을 품고 있다.

샤크스 리드

이루마와 한 팀이 된, 도박을 좋아하는 악마. 수확제에서 공동 우승을 해서, 둘 다 약왕의 자리를 차지했다.

지금까지의 이야기

인간 말종인 부모님에 의해 악마에게 팔려버린 스즈키 이루마는 마계의 악마인 설리번의 손자가 되어 악마 학교, 바비루스에 입학한다. 인간이란 사실을 숨기고 조마조마한 학교생활을 보내면서도, 악마 친구가 늘어난 이루마는 그런 생활을 점점 즐기게 된다. 그런 바비루스에서 가장 중요한 것은 수업을 통해 마계에서의 「랭크」를 올리는 것. 서바이벌 시험 『수확제』에서 좋은 성적을 내기 위해, 분투하는 어브노멀 클래스 일동. 수확제 종료 직전 「레전드 리프」를 피운 이루마와 리드, 둘은 오쵸에게 조종당하던 오로바스를 쓰러뜨리고 역전 우승을 거둔다!! 「약왕」 칭호를 거머쥔 두 사람은 랭크 「4(다레스)」로 승급한다. 그 외에도 어브노멀 클래스의 멤버도 수확제에서의 활약으로 랭크가 승급된다! 대단원을 맞이한 수확제지만…… 그 모습을 정찰하러 온 오쵸의 보고로, 바알과 키리요에게 이루마가 인간이라는 사실을 들키고 만다. 이 온화한 마계에 불온한 공기가 감돌려 하고 있었다….

CONTENTS

제143화 진심 쿠킹 교실!!

악마에 입문했습니다! 이루마군

VOL. 17

과자~.
과자~.
쿠킹~~♪
카케루를 위해…!
맛있는 쿠키를 만들어야지!
파이팅 이야, 린!
자아! 이번에야 말로….

수많은 적을 해치운 이 오른손을 해방할 때.
쿠키는 완성될 것인가?!
계속!!
오오~!!
팬레터는 여기로
러브레터도 환영
휴—…
오늘 낭독은 정말 실감 나는걸!
몸짓 손짓이!!
아하하
오랜만이라 기합이 들어가서….
그리고 유적에서의 열연이 몸에 배어서….
으음
과자…. 그것도 좋지….
메모리
20

네?
좋다뇨?
응?!
아니….
과자 만들기에
흥미가 있는데!
우리 주방은
사용 금지라서
말이다!
흐음~~.
앗.
그럼
아메리 씨.
우리 집에
올래요?!
…뭐?!

주 키친 방
Let's
쿠킹~!!
오~~!!
준비해주셔서
고마워요!
오페라 씨!
아뇨,
아뇨.
이, 이루마의
집에 왔어…!

그럼 저는 다른 일을 하러 가보겠습니다.
네 감사합니다.
다, 단둘이!!
미안하다…. 이것저것 빌렸구나….
아뇨 제가 말을 꺼냈으니까요.
게다가
과자 만드는 건 처음이라!
같이 만들게 되어서 기뻐요.
그래
네!
저벅
흠.
…일단 몰래 지켜보기로 할까요.
우선
손부터 깨끗이…!

뭐, 레시피도 있으니 괜찮을 것 같습니다만….
슬금…
자아!
그럼 우선 버터를 주무른 후
설탕을 넣어서….
오페라 레시피
시크릿
에잇.
철퍽
이루마 님??!
어, 어째서 통째로?! 레시피에 분량도 적어뒀는데…!!
?!
?!
어이, 이루마!

설탕이
부족한 것
아니냐.
싸아——
아메리
야??!
오—
과자에는
질색할 정도로
설탕이
들어간다고
들었다!
엄청
나다고~!
칼로리
가~
흐음~
혁. 설마,
이 둘은…
아니,
한도!
한도가!!
와아…
싸아
설탕
설탕
설탕

요리에 관해 잘 모르는 건가?!
이게 뭘까요
글쎄… 다져서 넣어볼까
주걱
그렇다!!
이루마는 어릴 적부터 서바이벌을 해왔기 때문에 식재료는 전부 삶아 먹자 정신.
아메리는 …….
보글보글
그래 지금이 바로 먹을 때다~
아메리 씨는 과자를 만들어본 적 있나요?
옹오
옛날에 케이크를 만든 적이 있지.

아버지께 대접 했는데
너무 맛있어서 가슴이 타들어 가는 것 같다며 한동안 만들지 말아 달라고 하셨지.
흐ㅡ흥
우읍
더 있어…
근본적으로 요리치구나…!!
하지만 이건….
자아
그럼 계속 만들죠!
다음에는 달걀을…….
에잇.
대체 왜 통째로 넣는 건데?!
※껍데기를 깨지 말자 정신

반죽은 가볍게 섞어준다.
거억
이렇게…
조리대째!!
이 가루는 뭐지?
넣죠.
연기가 나.
아, 도망쳤어요!
오븐은 어디 있지.
직화로 구울까.
주물 주물 전부 주물
저기… 저기… 얏
콰아―앙!!
아~

오오오오오오오
……
다 됐어.
오—
전혀 안 됐어요.
잘 들으세요.
당신들은 요리를 근본적으로 이해하고 있지 않아요.
무슨 말인지 모르겠단 듯이 반응하지 마세요.

요리란
정확한 순서,
세심한 작업,
그리고 마음 입니다.
순서와 작업은 제가 지도해 드리겠습니다.
그러니
제 말에 따르며 맛있는 과자를 만들죠.
마음을 담아 만드는 겁니다.
아, 네!

자투리
연소
분쇄

봉인
봉인

완
성!!
모락~
바깥 공기 좀 쐬고 오겠습니다.
포장 용품은 저쪽에 있어요…….
네!
후들 후들
와야
엄청 맛있어 보여요!!
해냈다ㅡ
와아! 대단해요, 오페라 씨!
아, 네….
으음~~.

고민 되네~.
항상 신세 지고 있는 할아버지랑 오페라 씨랑 바치코 스승님….
그리고 아즈하고 클라라도….
으~~음
뒤적 뒤적
그러고 보니 아메리 씨는 누구한테 줄 건가요?
찔!!
움
아, 나는 ….
?
아메리 씨….
스윽

텨억!
어.
이, 이런 건
내려다보며 주는 게 아니니 말이다!!
제대로 축하해주지 않았으니까.
저기… 다시 한 번…

수확제 우승 축하한다.

이루마!!
와,
와아~. 저한테 주는 건가요?!
우, 우와아!! 기뻐요!!

이리하여 쿠킹은 무사히 종료됐고
뒷정리 하죠~
네!!
두 사람은 요리에 푹 빠졌다.
선생님!!
다음에는 햄버그를 만들고 싶어요!!
다시 생각해 주세요.
어.

제144화 악우(惡友)

가지고 싶은 게
있다고…?
부들
부들
왈카아악!!
우엥
이루마 가아아아, 처음으로 졸랐어어어.
별일이 다 있군요
가지고 싶은 게 뭐죠?
우엥
으음.
그게….

제144화 악우(惡友)
네~!
오~.
왔구나!
이루마!!

응?! 응?!
어떻게
됐어?!
으흥흥,
그게~.
짜~잔
내 것!
입니다!
오오오~~~!!
사주셨
구나?!
잘됐네!
좋아!
그럼 얼른
해보자!!
앗,
진짜로?!

절규 소다
괜찮지?
과자는~
이거면
되겠지!
누나방
KEEP OUT
여기선 조용히!
소리 내지
않으며…!
슬~금
슬~금
이쪽이야,
이쪽!
도착~.
적당히
앉아~.
와아——!!
포스럭
잔뜩
이루마가
내 방에 있어~.
왠지 이상한
느낌이야~.

그럼, 다시 한 번!
약왕
건배~!!
예~이!!
스위치 여기
오프닝 스킵 할래?
볼래
영상 멋지네~
응~
이름… 이루마. 남자…….
이름
이루마
성별
남 여 그외
1인칭
▷僕 俺
私 기타
1인칭은 …….
삑
삑
내(僕) ….
잠깐!
삑
왜 그래?
으~음
저기…. 여기선…

『나(俺)』로
해볼까…?
괘, 괜찮을까?!
해도!!
괜찮아! 약왕인걸! 세게 나가자!!
솔직히 말해… 일인칭을 바꿀 타이밍을 잡는 건 어렵지 않아?
「나(僕)」를 쓰는 건 우리 둘 정도잖아
응
허들이 높아….

다음은~.
파트너 선정.
목숨을 맡겨라…
삐
고양이 인가….
믿음직한 이미지가 ….
오~
나는 무조건 드래곤! 강하잖아~.
이 게임 안에서 결혼도 가능해.
흐음~~.
이제 모험 같은 건 그만하자…
이것저것 가능하네~
응~
딸깍 딸깍
DEVILE

그런데… 이루마는 어떤 애가 취향이야?
뭐어??!
가가가, 갑자기 무슨 소리야?!
갑자기는 무슨!!
이성에 관한 이야기잖아!!
어어어 어어어?!
참고로 내 독자 조사에 따르면 꼬리가 긴 여자애는 음란한 것 같아.
그런 거 안 물어 봤어!!

이루마도 남자라면 흥미 있을 거 아냐!!
아, 아니….
거짓말!
순진한 척해봤자 소용없어! 나는 다 알거든?!
아니, 윽.
하아—… 좋아!
그럼 나도….
뒤적 뒤적
비밀 병기를 꺼내겠어!
덜컹
끼이이익
뒤적 뒤적
고오오오오…
에로이즘
서큐버스 특집
스윽…

됐어!!
넣어봐!!
왜!!
빌려줄게!! 이루마도 이런 거 본 적 있을 거 아냐!!
에로이즘
있긴 한데
전부 불태웠어…!
따뜻해
왜 태운 건데?!!
할아버지한테 혼난다고!!
온실 속 화초냐!!
시끌- 시끌-
부스스…
두두두두두
덜컹
누나 방
KEEP OUT
에로

거 되게 시끄럽네, 바보 리드!
나는 사바트 다음날이라 숙취 때문에 죽겠단 말이야!!
누, 누나…!!

누나는 만남에 실패해서 우울해하고 있는데~!! 뭐가 재밌어서 웃는 건데!! 확 베란다에 매달아줄까!!
이게~~!!
아야야야야
같은 반 친구가 왔어!!
하지 마!!
친구……?
앗.
이루마예요.
실례합니다.
……
휘잉
잠깐만 기다려!!
짜
잔!!

만나서 반가워요. 누나 샤키라고 해요~.
서큐버스 포~즈
취미는 요리, 좋아하는 타입은 믿음직한 연상.
혹시 형은 있니?
하지 마!!
나가, 정말!
뭐야!
귀여운 애랑 얘기 좀 하자!!
충분히 이야기 했잖아!!
미안해, 이루마.
처리!!
하아—
아, 아냐.
누나 께서 ……
리드랑 많이 닮았네!
그런 소리 하지 마!!!
잠깐만! 이루마라면 이사장의 손자 아냐?!
신데렐라가 될 찬스
터엉
크아-
돌아왔어!!

방으로 돌아가!
싫어~ 이루마 과자 먹을래~?
네!
낚이지마 이루마!
자아 나도 앉게 비켜!
어머 야한책
아—!!
부우~
왕따 반대!!
왕따는 무슨….
누나 방
KEEP OUT KEEP OU
EPOUT
이루마는 어리숙하니까 허튼짓하려고 하지 마.
허튼짓은 무슨!
되게 과보호하네!
부우~
아… 뭐랄까, 이루마는….

남동생? 같달까
리드~
곤란한걸…
내가 지켜보지 않으면 위험에 처할 것만 같거든~~.
너… 전에도 그런 소리 안 했어?
클라링은 내가 지켜봐 줘야 해…!
?
어어…
육아
…많이 변했네.
전에는 혼자 행동하며 아무것도 집착하지 않는 타입이었잖아.
폼 좀 그만 잡지 그래~?
게임도 다인용만 갖춰 놨잖아~.
데굴
호호호호호
데굴
혹시 너…
반 친구들을~
좋아하게 된거 아냐~?

ㅎㅎㅎ.
맞아.

얏
그렇다고 여기 들어오진 마!!
휘―익
자아, 물!
그거 마시면서 얌전히 잠이나 자!!
털컹
텁벅 텁벅 텁벅
흔들…
…옛날에는
「재미없어~」가 입버릇이었으면서….
흐~음.
후후….
하아…!
피곤해…
앗.
리드!

캐릭터 다 만들었어!
이거 봐!!
오오~ 장비 다 갖췄어!
가르쳐줘서 고마워, 리드!
짜자—안
…….
나
수확제에서 우승한 건
모두들 도와준 덕분이라고 생각해….
짜잔
쉬이이익
파
그중에서도 리드는 같은 팀으로서
도움 많이 받았잖아? 정말 고마워!

리드는 재미있고 항상 이것저것 가르쳐주잖아.
그래서 나
리드를…
엄청… 믿음직한…
남동생
같다고 생각해!!

잠깐만!!
동생은 이루마 잖아?!
아니, 리드가 동생….
…….
어째서?!
절레
절레
왜 그렇게 한사코 부정하는데?!
하지만… 리드는 동생 이니까….
절대 양보 안 하네!!
리드~~. 우동 먹고 싶어~.
갸~ㅅ
갸~ㅅ

어~
그럼 여러분!
술잔을 들어주세요!
수확제, 수고 많았습니다!
데비~일
건배~!!
예~이!
제145화 교사진의 연회

마계
선술집
주먹산마
주먹산마
주먹산마
주먹산마
금일
대절
시끌
시끌
맛있
겠다~.
시끌
시끌
후앗
샐러드
실컷
먹어~~.
우리 반
애들
말을 들어
안
너무 빨리
취한거
아니에요?
웅성
웅성
어라~?
오리아스
선생님과
카르에고
선생님이
아직 안 왔어!
오리아스
선생님은
술 못
마시
잖아~.
카르에고
선생님은
항상
안 오는걸.
오리아스
이야~
그 사람은
무리….
덜렁

아.
좀 늦었어요.
오오오오?!
진심을 담아 접대

카르에고 선생님?!
진짜?! 본인이야?!
영차
영차
술자리에는 절대 안 오는데!
선술집과 안 어울려!!
돌아가려고 해서 끌고 왔습니다!
발람 선생님에게 부탁해두길 잘했네!
저기~
오늘은 내가 총무예요!
칭찬해줘 칭찬해줘
저 둘의 소행인가….
뭘 마실래요?!
지껄
왁자
아
뭐든지요.
와인도 있어요!

참고로 계산은 이사장님이….
180,000엔
대흑마경
『대흑마경』. 천년 숙성 악의 이슬.
자, 자연스럽게 가장 비싼 술을…!!
그거, 도수가 엄청나잖아요.
아
저도 마시죠.
발람선생님 술 잘 드시는군요
뭐…
저도 마실래요!!
안주는 뭐로 하시겠어요?
닭튀김, 야채 절임, 그리고 새구이….
앗.

새!!
죄송해요.
왜 사과하는 거죠?
새구이를 먹으면 안 되나요? 수수한 선생님.
?
으음, 담당은….
마르바스 마치 선생님이야.
갸아아아
앗
고문학 이에요.
어.
고문학 담당 마르바스 마치

의외!!
마르바스 선생님, 수수하게 생기셨는데, 의외네요!!
대놓고 말하시네요
공예 쪽의 가게거든요.
흐음. 형제자매는 있나요?
으음, 언니가…
악마돌 매니저를 하고 있어요.
마르씨!!
어엇.
어ー 대단해~
어느 악마돌?!
그건 말 못해
뭐, 하지만
가족 하면….

자아
다시마 차다.
아니
저기, 할아버님.
저도 술을….
안 돼! 이딴 남자 천지인 무법지대에서 술은 무슨!!
바리 케이드 네….
할배 가드
직장에 가족이 있으면 고생….
모모노키 선생님——!!
바리케 이드
이쪽으로 오세요~~!!

모모노키
선생님은~~
신임 때,
어떠셨나요?!
옆자리!!!
돌아
왔나…
저,
제가
신임일
때는
카르에고
선생님이
교육 담당
이셨는데….
옆자리 옆자리 옆자리
참
신세를….
화끈
신임 시절
나와
마찬가지네
―!
어?
그럼
카르에고
선생님의
교육
담당은요?!
누구?!
윽
그건….

나야!
교사 통괄
단탈리온 다리
?!!
거짓말에 한 표.
농담에 한 표.
취했다에 한 표.
심의
내 발언이 그렇게 안 믿기는 걸까~.

뭐~
처음에는 참 문제가 많았지~~.
저기 ……
뭐?! 정말이야?!
붙임성도 없고
태도도 매몰찬데다 엄격했지.
지금도 그렇지만
하아 잘 부탁해!
하아 어둡네!
신임이 술자리의 총무를 맡는다고 했더니
비싸~
초고급 레스토랑을 예약했지 뭐야.
단골 가게였는데….
일은 완벽하게 처리했지만, 남들이 다가오지 못하게 하는 분위기였지.
하지만
그런 카르에고 선생님이 ……

아아~~~
지금은 문제아들과 참 친하게 지내잖아—.
푸읍
어라?
아냐?
네에…?
하지만 엄청난 학생들이에요~.
그중에서도 역시 이루마 군!
나왔다! 화제의 중심!!
오

이사장의 손자란 말을 들었을 때는 깜짝 놀랐지만~.
지금은 이해돼.
입학식부터 비행 시험…. 핑크색 꽃도 피웠고
뭐니 뭐니 해도 카르에고 선생님의 주인….
아, 죄송해요.
파직…
뜻밖이야.
로열 원도 열었고요.
월터 파크에서의 소동 때는 간담이 서늘했어요—.
맞아~
정말 화끈했죠!
음음
내버려둘 수가 없다니까요~!!

방긋ー
역시 학생과 교사는
가족 같은 거니까요!
틀렸어.
조용..
네?
로빈 선생님.
마음주
마음주 마신

바비루스의 젊은 재능은
마계의 새로운 자극….
어브노멀뿐만 아니라
학생들은 전부 마계의 소중한 보물입니다.
그리고
우리는 수호자.
펄럭..
그 마음가짐은 단 하나입니다.

우리의 사랑스러운 제자들을

지키는 것은 지상 과제, 생명의 맹약.
보물을 노리는 적에게는 처참한 『교육』을.

오싹…
자아 건배~!!
이예~이
하하하하하—
?!
!!
오오~
호흡 척척~~.
예~이

바비루스 대대로 내려온 마음가짐을 건배사에 쓰다니….
하아——
매번 이러는 건가…
아무튼 이게……
교사의 마음가짐이다.
똑똑히 기억해두도록, 신임.
…네!!
빙 고대회~
예—이!!!
이렇게 뜨거운 분위기 속에서

카르에고 빙고아냐?! 저기!! 여기! 빙고예요!!
오—!!
교직원들의 뒤풀이는 무사히 끝났고
1등상 이에요~!!
황금영감상
조이기—
오——오
끄에에에에엑
신임도 세례를 받게 된다.
저—기
일어 나세요~!!
돌아갈래
전원 옮겨라, 총무.
반납
맙소사!!!
쿠울
드르렁
쿠울

아ー
수업,
정~~말 수고 많았어!
제146화 마계의 흔들림
덕분에 이루마 군도 우승해서 「4」가 됐지!
아,
바치코 양에게 부탁하길 정말 잘했어~!
아뇨.
에헤헤.

바치코 양은 13관에 필적하는 실력자잖아!
아, 아뇨.
13관 분들이 훨씬 강했….
우뚝…
처억!
또~ 애들 같은 거나 먹는 기가? 냄새까지 달아서 불쾌하데이.
아양?
너야말로 촌내 나서 다가갔다간 버섯이 자랄 것 같다고.
아~앙?

뭐라고 짜샤
…….
그 옷 취향이 최악인 철면피는 별개지만….
모락모락…
하하하
참 사이 좋은걸~.
…….
자네는 타인과의 교류를 어려워하니까
강사를 맡아줄지 걱정됐지만….
…그래요.
처음에는 얼굴만 보고 돌아갈 생각이었어요. ……하지만,

하지만
지금은 제
수제자라고
생각해요.
…….
그런가!
자아!
그럼
얼추 이야기가
끝났으니
정리 정리~
이건
정리!
하고

어 험
다음 이야기로 넘어갈까.
퍼
억

『도청 방지(퍼펙트 스피크)』.
어험
바르바토스 바치코, 경청하겠습니다.
음.
우선 다음 『서턴 디너』가 중지됐다.
!
이유는 최근 며칠 빈번하게 일어난 유력 악마의 실종이지.

데비람
귀족회.
전장.
온갖 장소에서 하이 랭크 악마가 사라졌지.
원인은 불명…. 하지만 원흉은 짐작이 돼.
짐작?
그래…. 『온갖 악행의』
『배후는 바로 그 단체』라 여겨지는…

EP

육지중.
흔적이 없다…. 그걸 통해 그들의 짓이라는 걸 알 수 있지.
파직
…그렇군요.
즉.
치직…
파지직
바르바토스가 자랑하는
이 최강의 활이 나설 때

라는 말씀이군요…!!
앗.
미안해. 그게 아니라!!
어.
아, 아닌가요….
파직…?
응.
그런 게 아니니까 자세 풀어.

마계가 불온하게 흔들릴 때야말로
교육자는 교육에 전념해야 해.
학생들에게 더 좋은 지식을 전해주고 육성하며 지킨다.
우리 어른들이 그들을 인도하는 것이야말로 마계의 평온으로 이어지지.

그렇지?
~~~~~네.
이것이,
이것이 차기 마왕 후보, 삼걸 설리번 공!! 역시 말에서 느껴지는 무게감이 달라!!
두근
두근
그러니 바치코 양.
이대로 내 손자의 특별 강사를 계속해줘.
네.
이루마는 인간이거든.
네.
~~~~~

음?
어어어어어?
얘도 인간
쟤도 인간
어버버버버
이 사실을 아는 건
이사장님과 저… 그리고 발람 교사 뿐입니다.
네 의지를 존중하겠어.
쓰담…
지금 대화의 기억을 지울지… 우리와 함께 이루마 군을 지킬지….

덜컹
…그.
좋은 아침이에요~.
오페라 씨. 오늘 아침은….
비틀~
어,
스승님?!!
왝?!
이루마군~ 좋은아침~
좋은 아‥어 스승님…?!
오늘 아침은 오믈렛입니다
어 만세…
?! ?!
…인간.

왠지…
이상하게 납득이 되는걸.
왜냐하면…
왜냐하면
악마가 아니라는 건…

역시 내 제자감은…
이 녀석 뿐이란 거잖아.
정말.
어쩔 수 없네.
인간이든 아니든
앞으로도 내가…

짜자~안
열심히 돌봐 줘야지!
헉
바치코 양?
이루마 군을 시종으로 부려 먹나 보지?
그냥 넘어갈 수 없겠군요.
아, 아니, 이건, 아니에요! 이것도 수행의 일환….
세탁과 청소도 해요!
야

털썩
휴우~~~….
잘 모르겠지만, 또 스승님에게 혼났네.
으~~음?
평소처럼 행동했는데…
아리 씨~? 는… 잠든 걸까.
나중에 마력이 얼마나 남았는지 확인해봐야지.

자아.
다음은
음악제!!
이루마 악마학교 동복

저기~.
이건….
방한복!!
추워졌잖아~.
더 입을래?
귀여워~
아뇨!!
괘,
괜찮아요!
감사합니다!
푹신~
오.
마중
왔나 보네.
푸하
응!!
그럼…
이루마 님
못 움직
이겠어…
제147화 또 한 명의 악마

제147화
또 한 명의 악마
다녀오겠습니다!
발락 클라라
랭크 3
스즈키 이루마
랭크 4
아스모데우스 아리스
랭크 4
다녀오렴~
찰칵

이루마 님.
스윽
이걸 쓰시죠.
인식 저해 안경!
오~~!!
로열 원에서의 교훈을 살리는 겁니다!
이걸 쓰면 절대 주목받지 않을 겁니다!
이루마 님은 약왕!!
세트~
다른 1학년들에게 동경의 대상! 눈에 띄었다간 바로 둘러싸일 테니까요!

고마워, 아즈!
약왕이―
우글――
이루마
있을까―
또 시달리면 큰일 이니까요.
뭐….
끄아아아
학습 능력이 없는 바보도 있는 것 같습니다만….
아―
꽈아악
살려줘
하야야야야

오
왔구나.
이루마!
좋은 아침~
그리고… 그건 뭐야?
덜떨어진 얼간이들이다.
질질
질질…
로열 원 때처럼 포즈를 취했더니
우——글
으 얏!!
보통 랭크가 오르면 두려움의 대상이 되는데 말이지~.
점점 심해지고 있어….

뭐
주목받는 연습으로선 괜찮겠지만….
다음 축제에 대비해서 말이지. 안 그래? 이루마.
!
응!
어브노멀의 전원이 「4」로 오르지 않으면 로열 원 몰수!
그런 그들에게 남겨진 승급 찬스, 1학년 최종 어필
음악제.

합창, 밴드, 연극. 소리를 즐길 수 있다면 뭐든 오케이!!
가장 뛰어난 어필을 하면 우승! 하는
반 대항
음악 대결이다!

좋아!
삐익—
그럼 확인하자!
현재 랭크!!
이루마, 아스모데우스, 리드
3 4
클라라, 사브노크, 알로켈, 재즈, 가프, 아가레스, 카무이, 케로리

리드만 확 튀네.
위화감
아, 아니거든?!
약왕이라고~
알아-
그리고… 남은 건….
랭크 2 (베트)
엘리자베타
어-머
미안해.
당치도 않습니다!!
누님은 이미 「4」나 다름없습니다!!

뭐,
즉!
쉬익
내가 생각한
작전은 이래!!
누님이
팍팍
주목받게
하면서…
경사경사
전원「4」로
올라가기
작전~~~~!!
오오——!!

2 랭크 업이 필요한 누님을 중심으로!
좋—아
「3」인 녀석도 돋보이면서, 열두 명이 함께 할 수 있는 무대를 준비하자!
응! …
…….
……어?
으~음?
이루마 님, 왜 그러시죠?
응~?
아니…. 왠지 중요한 걸 잊고 있는 듯한….
엉
멍청한 것들!!

야
카르에고 선생님~, 안녕하세요~.
아침부터 시끄럽다!
정숙 하도록!!
아, 작전 회의 중입니다!
음악제에 대한 밀담이외다!
우리의 히로인!!
아무튼! 「2」인 누님을 중심으로 한 무대를 할 거예요!
호오…?

그럼
다른 한 명은 어쩔 거지?
어?
다, 다른 한 명?
「2」가 한 명 더 있지 않느냐….
뭐?!
어?
랭크 내려간 애 있어?!
누구?! 어디에?!
그러니까

저기 말이다.

어….
우왓?!!
스르윽

사라 졌어!!
어
어
어
어째서지?! 환영인가?!
어어
어
진정해라, 이 자식들아.
앗.
푸르…손!
야?!
어~~?! 들은 적 있는 것 같은데…?!
없는 듯한…
어브노멀 클래스 일원이지 않느냐.
잘 생각 해봐라.

반 배정과 비행 시험,
푸르손 소이
처형옥포, 로열 원의 개방과 종말 테스트.
이런 애 있었나?
그러고 보니 있었구나!
…싶기도 한데….
으으~~음
아무튼!
「2」잖아?! 그럼 누님과 함께 주목을 받게 해야…!
그건…

어렵 겠지.
특히… 주목을 받는 건 말이다.
어브노멀 클래스. 푸르손 소이.
달그락…
가계 능력은 ……
『인식 저해』.
그는….

『절대 주목받지 않는다』를 신조로 삼은…
악마다.
푸르손 소이
랭크 2
……!!!

어~~~….
취미는 뭐야…?
제148화 푸르손 소이

스윽…
아아아아.
잠깐만,
잠깐만!!
와아
스톱, 스톱!
방금 그건
못 들은 걸로
해줘!!
사라지지 마!!
와아
크아아아아
하하하하
이상한
소리 해서
미안해——!!
얘는족쳐둘께—

큰일났다~
완전히 사라지면 아웃이야!
※지난번 참패
빰 빠밤 빰 빠밤
다섯시야…
돌아가자…
전에 사라졌을 때는 전혀 못 찾았잖아….
음악제에서 문제아 모두가 랭크「4」로 올라가기 위해선
「2」둘의 활약이 필수다!!
랭크
2
3
4
고
저
주목받고싶은정도
아무튼!
음악제의 무대에서 센터에 서달란 취지로 프레젠테이션을 하자!!
오——!

우리!
같이 음악제 나가자~!!
음악제는 말이지~.
분명 두근두근하고~ 버엉~하고 화려해서~ 즐거워~!
모두와 함께이기도 하고 댄스나~
노래 같은 것도 잔뜩 있어서~
두근두근할 거야~!!
어떻게 할래?!
짤랑짤랑?!
둥둥?!
예—이
붕
바
샤카
아니면
반짝반짝
댄스?!

조—용
……돌?
크,
클라라라!!
움직이지 않아…
무섭지 않아
흥!
음악만으로는
부족한가….
그럼 역시!
마왕
활극이
좋겠지!!
두두웅!

바트라 파티에서도 호평이었느니라!
마왕의 일화에 노래를 더해 표현! 최고의 자극이지!
오오오오~!!
물론! 마왕 역할은 이 몸이――….
아니, 마왕 역할은 푸르손이야.
그럼 없었던 걸로!!
어이!!!
관두자!!

원점으로
돌아왔잖아!
어~
정말!
설득도 제대로 못 하는 거냐….
잘 보세요, 이루마 님!!
이 아스모데우스 아리스가
음악제의 중요성과 이루마 님의 위대함을 차근차근 설명——….
스윽
뭐 하자는 거냐, 이 자식아!!
아직 한마디도 안했지 않느냐!!
아즈아즈의 이루마 토크는 참 길잖아….
스륵~
나라도 사라질 거야…

그럼 역시…
음악 하면
기~잉
밴드
아냐?!
휴~!!
누님과 푸르손의
트윈 보컬로!
화려하고 멋질 거야!
어때? 누님,
괜찮지 않아?!
으음~.
그래~.

노래를
좋아하니까
푸르손과 함께
부른다면
즐거울지도
몰라.
빙글
이쪽 슬쩍
쳐다봤어!!
두
두두두
오오~~!!
보컬은
여자한테
인기 있어,
푸르손!!
저희도
서포트
하겠습니다!
같이 하자!
응?! 응?!!

우리는
푸르손의
도움이
필요해…!
다 같이
「4」가 되기
위해서라도!
부탁이야!
함께
주목받아줘!!
부탁
이야…!
끄덕…
!!
푸르손
…!!

어~이!!!
스륵…
?!
왜지?!
지금 느낌 엄청 괜찮았는데!!
완전히 사라졌어!!

우리, 놀림당하고 있는 거 아냐?
제~~엔장! 찾으면 꽁꽁 묶어버리자.
음
교섭은 어렵겠는걸.
내 간지럼 실력을 선보일 때가 왔나…
이렇게 되면 마술이라든가
좀 거친 방법도 동원해야 하나…?
그건, 좀….
후다닥…

누군가
나갔어….
푸르손이다!!
도망치는
거냐!!
우오~~?!
쫓아라,
쫓아~!!!
와—!!
이루마 님!
반드시 푸르손을
잡아 오겠습니다!!
기다려주십시오!!
어
덜컹덜컹덜컹…
와아~~
…….

푸르손…
있지?
스윽…
우왓!
깜짝…
지, 지지,
진짜로
있었어…!!

스윽
우왁—
잠깐만, 사라지지….
아니….
듣기 싫으면… 됐어.
털썩…
그냥
내가 멋대로 떠들어댈 뿐…인 걸로 해둬.

우선
눈치 못 채서 미안해.
같은 반인데 이야기도 나눈 적 없지?
아까는 나도 그렇고 다들 너와 어떻게 이야기해야 할지 몰랐거든….
그러니 와아—— 하고
으~~음
음악제 일 같은 걸 엄청나게 부탁했지만,

나는,
나는 말이지.
푸르손이 싫다면
앞으로 나서지 않아도 된다고 생각해.
「부탁이야」, 「도와줘」 같은 소리를 거절하는 건… 어렵지만
자기 욕망을 관철하는 건 참 어렵다고 생각하니까….

싫으면 싫다고 말해도 돼.
조금은 억지를 부려도 돼.
나도 요즘 들어…
우우…
…….

익힌 거지만 말이지….
그러니 내가 묻고 싶은 건
푸르손이 어떻게 하고 싶은 건가, 야….
슈우우
나는…

뭐가 하고 싶은지 물어도 아직 패닉 상태라 시간이 필요해.
중얼
함께 음악제를 하자고 해도 너무 갑작스럽단 느낌이거든. 뭐, 나가야만 한다고 생각하긴 해.
중얼
중얼
이제 와서? 저 무리 안에 끼라고? 센터에 선다고 상상하니 우와~~~~. 안 돼, 절대 안 돼. 그러니 제대로 설명하고 거절해야겠다고 스스로도 생각했지만
중얼
마음의 준비라는 게 있잖아? 긴장해서 나왔다 사라졌다 했더니 놀린다고 오해받고, 가게의 규율상으로도 안 되는 어려운 문제니까, 이 점에 대해 마음속에서 회의하는 중이야. 정말 미안해.

제149화 픽시의 소리
중얼
중얼
음악제에 나가달라고 해도 말이지? 나는 주목받으면 안 되는 가문 출신이라 솔직히 어려워.
게다가 이제 와서 너희들, 문제아들 사이에 끼는 건 허들이 높다고 생각해. 얘기해본 적도 없잖아.
두더지는 갑자기 땅 밖으로 나가면 마음이 깜짝 놀라 죽는다나 봐.
중얼
중얼
왕창 프레젠테이션 해줬지만, 압박이 너무 심해서 오히려 정색하게 돼.
중얼
음악은 괜찮거든? 하지만 그거랑은 다른 문제지.
그러니 조금 천천히 접해줬으면 한달까, 비눗방울을 만지듯 다뤄줬으면 해.
중얼
음과 양의 악마가 있잖아? 나는 음이고 너희는 양이야. 양에 너무 다가갔다간 눈부셔서 움직일 수 없게 돼.
머릿속으로 「무리예요! 무리예요!」 하고 외치며 완벽하게 준비했지만, 말을 하려고 하면 내가 사라졌다 나타났다 하잖아. 나도 그런 나 자신에게 놀랐다니깐.

휴우…
그럼 안녕.
스윽
아니, 아니, 아니!!
하아
정말──!!
푸르손은 아무 데도 없어~!!
다들….
어서와
다녀 왔습다~.
이루마쮜~
죄송 합니다!
푸르손을 발견 못 했습니다….

아니… 실은 아까까지 이야기를….
어어?!
푸르손과?! 이야기를 나눈 거야?!
응…. 저기….
엄청… 수다쟁이 였어.
거짓말이지??!
환각이라도 본 게….
이루마 님의 말에 트집을 잡는 거냐….
죄송 함다.
얏 얏
뭐래?
으음, 역시 주목받는 건 무리라고….
어머
확고 하네…….

아무튼 사라져버려서야 손쓸 방법이 없어~.
음악제에서 주목을 받게 하는 건 무리겠지요.
그래…. 다 같이 『로열 원』과 작별할 수밖에 없나….
Good bye
아
아
작별 이야
어이.
손
하지만…
음악은 괜찮거든? 하지만 그것과는 다르게 말이지.

푸르손…
음악제에는
흥미가
있는 것
같은데….
어쩌지~
한번 더 찾아볼까~
스윽…
스윽…
중얼
중얼
중얼
중얼
중얼
슥…

왕창
대화 나눴어.
※대화는 안 나눔.
가족이 아닌 사람과 대화하는 게 하도 오래간만이라 무심코….
스윽
중얼
중얼
이러면 안 돼.
억눌러야만 해….

내 가계는 푸르손.
절대 주목받아선 안 되는 악마.
가계 능력은 『인식 저해』.
우리는 항상 『주목받지도, 소란을 피우지도, 들키지도 않는』
유서 깊고 고독한 일족이다.
그 긍지를 절대 잊지 말고, 행동해야만 하느니라.
…아버님.

어디 있어요?
열심히 사라지자
신경 쓰지 말거라.
푸르손 가문의 인물은 『항상 주목받지도, 발견되지도 않아야』 하느니라.

대외적으로는 인식 저해의 마구 개발에 힘쓰면서
그 이면에서는 은밀한 임무를 수행하며 마계에 공헌한다.

간섭이
허락되지 않는
『중립의 박쥐』.
우리의 능력은
위험하다.
그 능력을
잘못 다루면
마계의 균형을
무너뜨릴 수도
있지….
현재 네 형은
그 능력이
너무 뛰어난 나머지
누구에게도
발각되지 않으며
어딘가로
사라지고
말았느니라….
형 몫까지
네가 우리 가게를
이끌어 가거라.
소이.

시끄러워~.
그 이야기를 몇 번을 하는 거야. 이제 외우겠어. 형은 얼굴도 본 적 없는데….
너무 부담스럽다고. 압박이 정말…. 좀 상냥하게 등을 밀어 달라고…. 이불 최고….
확 이불이랑 결혼할까 보다.
아니, 귀여운 여자친구가 있으면 좋겠네. 날개를 금색으로 만들어 볼까.
데굴
데굴
데굴

그건 아버지한테 말하면 안 돼.
소이.
움찔
어머님.
계셨군요.
그래.
벌떡
너를 고생시키고 말았네.
쭉 입 다물고 지내는 건 힘들 거야….
하지만 네 아버지도 너를 생각하고 계셔.
………

알고 있어요. 뭐,
괜찮아요.
끼익…
퍼엉
중얼…

잘 들으렴,
소이.
말이
마음속에서
넘쳐 흘러서
정 말을
하고
싶어지면
그때는
이것에
전부
쏟아부으렴.
저
억

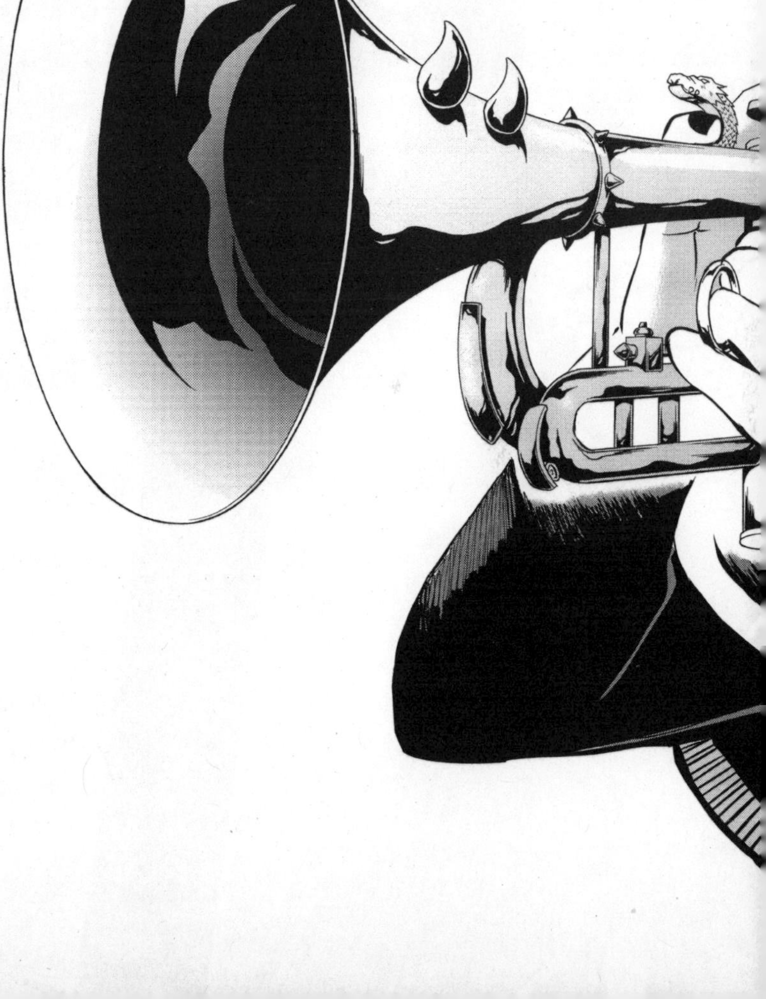

빠바바바바밤
빠바바
바바—
빠밤—

빠바바바밤-!
빠바밤-!
!
이 소리….
『픽시』야!
오~. 오늘도 픽시의 트럼펫 소리는 좋은걸~.
빠바바밤-!
다섯 시인가. 좋아. 연습 끝내자.
넵
빠바바 바바바밤
연주가 빠르네.
대체 누가 연주하는 걸까~!!
그걸 모르니 『요정(픽시)』인 거야.
둘 둘
각 음악제

즐겁고
가슴 뛰는
좋은
음색이야…!
빠바바바밤ㅡ
빠바밤
빠바밤
빠밤ㅡ
독
독
독
빠바바ㅡ밤ㅡ
픽시는
대체
누구일까.
멋져!
아~.
차라리
픽시가 함께
음악제에
나가준다면….
푸르손
찾습니다
푸르손
찾습
니다

분명
우승할 수 있을 텐데—.

빠바-밤-
오늘도 매우 열정적인 연주인걸~.
픽시.
쪼르륵
제150화 억지
훗
스트레스가 쌓인 걸지도 모르겠는걸.
발람 선생님 머리 길렀어?!
갓털철이라 금방 자라는 모양이야~
풍성해~~
우와아
히죽대기는 ~~.

푸르손이 픽시인 건 안 가르쳐줄 거야?
...흥.
재능과 소질에 눈길도 안 주고
자기들 뜻대로 조종하려 해 봤자 잘 풀릴 리가 없지.
그리고 그걸 깨닫는 건 그 자식들에게 달렸다.
뭐….

빰
내가
알 바는
아니지.
빠바—밤—
오늘은…
빠바바바바밤
빠바바바바바밤
두
두두두
너무
많아…
외치고
싶은 말이

우선 그 음습 교사 카르에고.
거기 빵
어
괜한 소리 말라고.
빠
빵
밤
깜짝 놀랐잖아. 그만 좀 해. 음악제에 안 나가면 분위기가 나빠지게 생겼잖아.
나갈 수 있을 리가 없는데.
그보다
다들 너무 대뜸 들이대는 거 아냐?
빠빵
무섭다고.

나를 향한 배려는
기뻤어…. 하지만…
솔직히 음악제에선 아마
무지 활약
할 수 있겠지만——….
푸르손 가문은 주목을 받으면 안 된다.
빵
이건 절대적인 규율!
안 되는 건 안 돼!!
빵
내 음악 재능은 누구에게도 밝힐 수 없어.
왜냐하면
나는
그 무슨 일에도 간섭하지 않는

흔들리는
박쥐니까
———…

어, 왜지?
잠깐만. 사, 사라져야,
사라져…….
지이이인~~~~짜

어…
멋졌어어어어~~~~!!!
대단해, 푸르손!! 빠바바밤~ 하는 엄청난 소리야! 손가락이 백 개는 되는 것 같았어!! 반짝반짝 번쩍번쩍 무지 빛나더라니깐!!
….
아,

아냐.
음악제를 위한 게 결단코 아니며, 애초에 음악을 사랑하는 것도 아냐. 뭐, 남들 앞에서 연주한 적도 없어.
아무튼 입 다물고 있어. 됐으니까 잊어줘. 이 이야기 이제 그만하자.
이건 단순한 스트레스 발산법일 뿐.
그보다 왜 여기 있는 거야.
아무튼 아냐! 아니란 말이야!!
그래…. 이건 꿈이야…. 좋아, 일단 돌아가서 잠에서 깨어나자!
내가 말했지만 궁색한 변명이야….
그럼… 그런 걸로 알고….
도망치자…

잘 있….
털썩—억
욱
잠깐.
미안해.
하….
미안해.
그래도 들어줘.

나…
푸르손
에게
사과할 게
있어…….
?
나,
나는
푸르손이
뭘 하고
싶은 건지
몰라서….
주목받으면
안 되는
가문이라는 데다,
다들
부탁할 때도
곤란해하는 것
같았어….
그래서
나가기 싫다면
무리할
필요 없다고
생각한 거야.

하지만
아까
트럼펫을 연주하는 푸르손을 보고…
나,
무지 감동했어!
그러니 아까 나서지 않아도 된단 이야기를 했지만,
정말 뻔뻔한 이야기지만!
네 사정 같은 건
전부 생각 안 한

내 억지일
뿐이지만!
그저
네 연주를

모두에게 들려주고 싶단 생각을 했어!!!

제대로 모두에게 들려주자!!
나는 모두에게 칭찬받는 네가 보고 싶어!!
그러니 같이 나가자!!
음악제에!!

……어,
어째서
「우리를 위해서」나 「나와주기만 하면 돼」나
그런 말이라면 간단히 거절할 수 있을 텐데….
어째서
이번에는…
말이 나오지 않는 거야.

나는 모두에게
칭찬받는 네가 보고 싶어.

연주만 해도…
괜찮… 다면.
어?
어?

만세——!!
……어라?
나, 지금 무슨 소리를 하는 거지.
주목 받으면 안 되는데, 정말로 안 되는데, 어째서
만세 와~아
나도 모르게 기세에 밀려서….
아니, 안 돼. 주목받으면, 잠깐, 시끄럽네. 으음, 그러니까 즉,
만세~ 와~아
기뻐

어.
나가는 거야?
내가?
음악제에?
중얼
중얼
제멋대로인
재 때문에?!

제151화 열세 명의 도전

빵
빠바밤
!!
이, 이 소리는….
빠바밤
픽시——…?!!
어, 이 시간에?!
그럼 이 근처에 있는 거야?!

아즈!
불 피워줄래?!
화륵
아.
맡겨
주십시오!!
화르륵
?!
빠암

푸르손 …?
어.
그럼 픽시는….
뭐어어어어어어어어어어?
어~~.
픽시의 정체는
바로… 푸르손 이었습니다.

엄청 뒤편에
있는데….
아~
푸르손 오~
그건…
전에 너희가
일제로
달려들었기
때문이에요.
무서워하네요
그건
죄송
합니다.
아즈아즈와 클라랑은?
저기가 정위치니까…
흥
흥
이제
안 만질게~.
……
알았어!
??
?

—….
긴장된대.
아니,
이상하거든?!
대사 길이가
너무 다르잖아!!
제대로
듣겠소이다!
아니,
긴장된다면…
맡겨줘.
내가
1대1로
이야기를
들어줄게!
할 말이
있으면
뭐든
말해도 돼.
오오~
…그래.

샤크스 리드. 너는 너무 들러붙는다고. 알겠어?
방과 후에 마멘 만들어 먹는 건 좋은데, 제대로 치워. 바닥에 흘리지 마.
야한 책을 학교에 가져오지 마.
우뚝…
옷도 함부로 벗어놓던데, 가프가 항상 정리해주니까 익숙해진 거지?
그리고 수업 중에 누님 너무 쳐다….
아~.
벌컥
어, 뭐야?! 뭐야?!
다음은 알로켈.
중얼

예~☆이
너, 일전에 다른 학교 애랑 사바트를 했지?
뭐──??!
푸르카스 선생님 따님에게 초대받아서 혼자 말이야.
그런 것에 관심 없나 했더니!!
인마, 이쪽 쳐다 보라고!!
이 몸의 방!
사브노크는 멋대로 『로열 원』에서 묵잖아.
읏 들켰다
와~
아스모 데우스는… 때때로 몰래 이루마와 클라라의 사진을 찍어.
찰칵
뭐, 앗, 윽, 이 자식…!!

※사바트=미팅

말하지 그랬어~
아니, 야
이, 이루…
푸르손! 그쯤만….
이루마…는
수업 중에 몰래 과자 먹지 않는 게 좋을 거야.
마수 교본
우물 우물 우물우물
으윽.
이루마 님…
이루마찌, 식사 전에는 자제해…
욱
야
그만해, 푸르손!!
여자애들이 무서워 하잖아…!!
부들부들
아니
여자의 프라이버시를 침해하진 않아.
신사!
인마!!!
슥―…
여기로 왔어!!
와아아~
히익~
헉―
하아―
―푸,
푸르손, 무시무시해….
헉―
헉―

정말 쭉 같은 반에 있었군요.
다들 오늘 들은 걸 일단 잊자.
서로를 위해
하지만 역시 픽시답게 엄청난 폐활량이야!
악마는 겉모습이 전부가 아닌가….
랭크는 「2」지만!
푸르손의 실력이면 음악제에서도 분명 활약할 수 있을 거야!
그 얘기 말인데,

내가 음악제에 나가는 데는…
두 가지 조건이 있어….
어.
조건?
협력하는 건 소리뿐. 나는 모습을 보이지 않을 거야.
그리고 연주하고 있는 게 나라는 걸 밝히지 않겠어.
이 조건을 받아준다면 나는 음악제에 나갈 거야.

살랑..
타이밍
최~악~~~.
완전 망했다~~~~.
이건 아니잖아. 다들 얼어붙을 만해.
모처럼 애들과 즐겁게 대화를 나누고 있었는데
커뮤니케이션 부족의 폐해가 이제야 드러났어~~.
※대화는 나누지 않음.

하긴,
이 조건으로는
「4」가 될 수
없잖아.
의미 없다고.
음악제에
나가겠다며
기대치를 올려놓고
절망에
빠뜨려버려?
응? 그것도
이 분위기에서
말이지.
완전
사라지고
싶어.
확 사라져버릴까?
안 되려나.
안 되겠지.
어~쩐다~.
……
실망…시킨
걸까….
역시
음악제에
나가는 게….
다들.
그런 표정
짓지 마!!

가슴이 뛰는 건 이해하지만!
히죽

?!
아니~. 하지만
그런 조건을 제시 받으면…
역으로 불타오르는 게 당연하잖아?
모습을 안 보인 채 「4」로 승급인가—.
!!
맞아…. 그들은….
저기, 푸르손….

역경에 빠졌을 때야말로
웃었어.
전원 어브노멀….
이 반에는 정상이 아닌 악마가 모여 있거든?
그런 우리한테 불가능 같은 건 없어.

우승해서!
「4」가 되자!
푸르손도
같이!!
엉이!
멋대로
꽃구경하고
있는 건
대체 누구냐!!
우왓.
큰일났다,
선생님
이다!
어이~
도망쳐~!
와아아아
비상식
적인
반이야…!
정말
하지만…
중얼
중얼
중얼
그래도…
중얼

『악마에 입문했습니다! 이루마 군』 제⑰권/끝

읽어주셔서 정말 감사합니다.

THANK YOU FOR READING

〒102-8107 東京都千代田区飯田橋2-10-8
秋田書店 週刊少年チャンピオン編集部気付 西修先生宛

후기

나는 그를 잊은 적이 없어요 17권!!

애니에서는「오리지널 캐릭터?」란 소리를 듣고,
「그 애는 어디 간 건가요?」란 질문을 받게 하며,
쭉 모습을 감췄던 그. 드디어 만났구나, 푸르손!!!!!
애니 제1시리즈 방송이 끝난 타이밍에 음악제가
시작되면서, 그를 끌어낼 수 있어서 매우 기쁩니다.
저는 애니에서 푸르손이 비칠 때마다「푸르소~온」
하며 손을 흔들었습니다. 곧 너도 스포트라이트를
받을 거야~ 하면서요. 마계에서 살아가기로 결정한
이루마가 억지도 부릴 수 있게 된 이 타이밍에,
푸르손이 등장한 것은 분명 의미가 있다고 느낍니다.
그리고 열세 명이 모인 다음 권에서는 음악제를
맞춰 마구 날뛸 겁니다!!
움직여! 움직여! 주인공들!!

플랭크

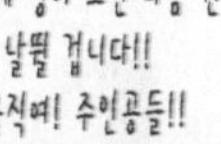

믿음직한 동료들

스태프 THANKS

· 오사이 씨
· 히로카와 료 씨
· 야하바 아야 씨
· 하타케야마 카즈타카 씨
· 코토부키 나오키 씨
· 카와사키 츄 씨
· 마이카와 세미 씨
· 아루가 요시노리 씨

감사, 또 감사

지브리 작품 중에서
원령공주를 가장 좋아합니다.
저와 같네요.

· 담당자 니시야마 씨

수확제의 보너스

섬세함

역시 리드는 게임기를 잔뜩 가지고 있구나!
수북—
아~… 그게….
와하-!!
우승! 축하해!!!
역시 내 제자야~!! 약왕이 되다니 정말 대단해!!
천재! 우수!! 자랑스러운 제자네~. 정말~ 나, 기뻐~.
흔들
흔들
우승 선물 기대해!!
라면서
왕창 줬어.
특훈 생각나서 토 할뻔 했어
그, 그랬구나….

악마에 입문했습니다! 이루마군 VOL.17

2024년 1월 30일 제1판 제1쇄 발행
2024년 6월 30일 제1판 제2쇄 발행

작가 | OSAMU NISHI
번역 | 이승원

발행인 | 오태엽
편집팀장 | 이수춘
편집담당 | 이혜리
미술담당 | 최진주
표지 디자인 | Design Plus
라이츠사업팀 | 이은선, 조은지, 정선주, 신주은
전략마케팅팀 | 김정훈, 이강희, 정누리
제작담당 | 박석주

발행처 | (주)서울미디어코믹스
등록일 | 2018년 3월 12일
등록번호 | 제 2018-000021
주소 | 서울 용산구 만리재로 192

인쇄처 | 코리아 피앤피

MAIRIMASHITA! IRUMA-KUN vol.17
©OSAMU NISHI 2020
Originally published in Japan in 2020 by Akita Publishing Co.,Ltd.
Korean translation rights arranged with Akita Publishing Co.,Ltd.
through TOHAN CORPORATION, Tokyo.

Korean edition, for distribution and sale in Republic of Korea only.
한국 내에서만 배본과 판매가 가능한 한국어판.

인지는 작가와의 협의하에 생략합니다.
잘못된 책은 구입하신 곳에서 교환해 드립니다.
문의 (02)2198-1736

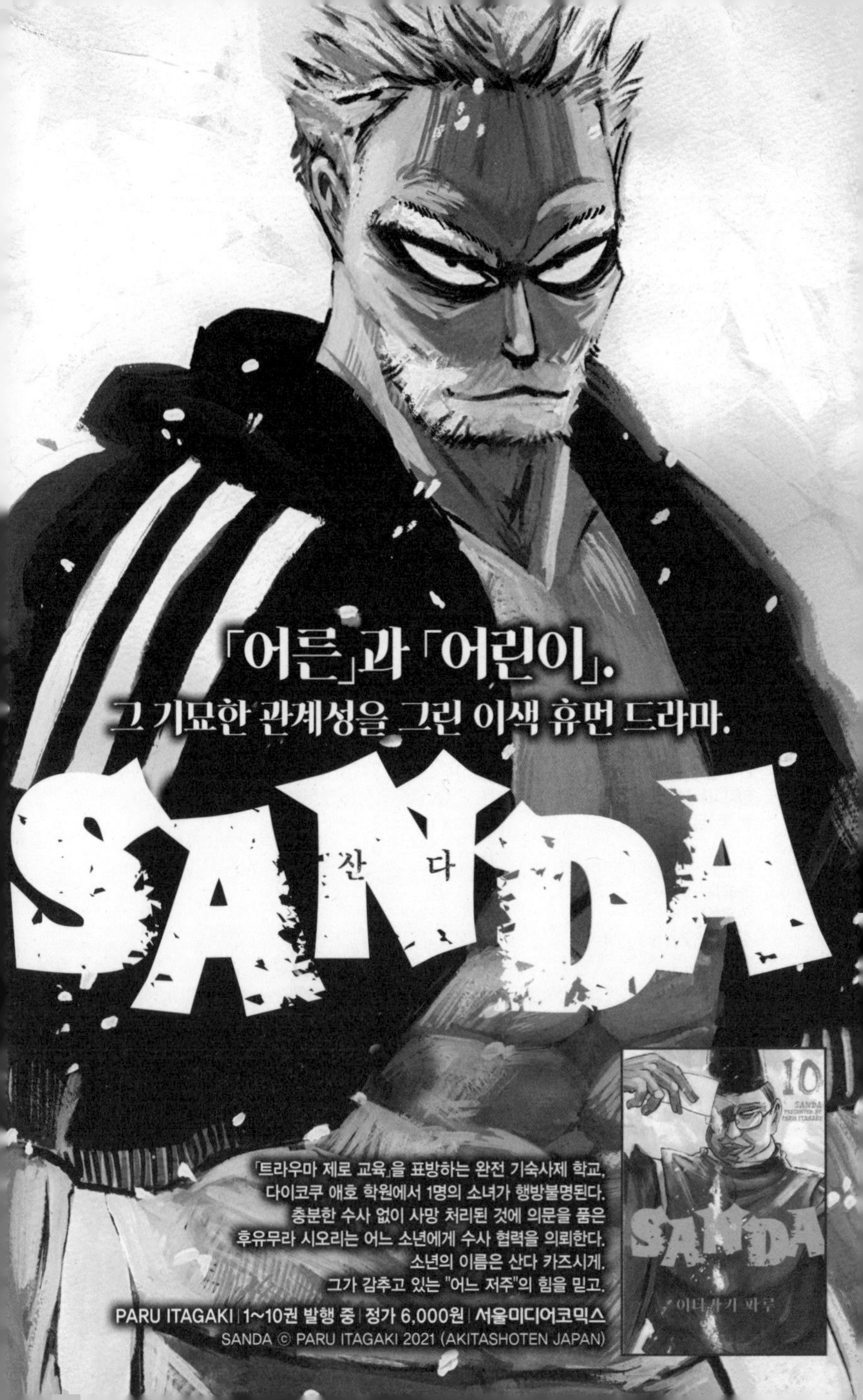
「어른」과 「어린이」.
그 기묘한 관계성을 그린 이색 휴먼 드라마.
SANDA
산다
10
SANDA
「트라우마 제로 교육」을 표방하는 완전 기숙사제 학교,
다이코쿠 애호 학원에서 1명의 소녀가 행방불명된다.
충분한 수사 없이 사망 처리된 것에 의문을 품은
후유무라 시오리는 어느 소년에게 수사 협력을 의뢰한다.
소년의 이름은 산다 카즈시게.
그가 감추고 있는 "어느 저주"의 힘을 믿고.
PARU ITAGAKI | 1~10권 발행 중 | 정가 6,000원 | 서울미디어코믹스
SANDA © PARU ITAGAKI 2021 (AKITASHOTEN JAPAN)